Para los pequeños mundos de Laurent, Louise y Rachelle.
G. C.

Para mi familia, mis amigos y sus pequeños mundos.
S. C.

Título original: *Les petits mondes*
Texto: Géraldine Collet, 2017
Ilustraciones: Sébastien Chebret, 2017
© Mijade Publications, Namur, Bélgica, 2017

© de la traducción española:
EDITORIAL JUVENTUD, S. A., 2018
Provença, 101 - 08029 Barcelona
info@editorialjuventud.es
www.editorialjuventud.es
Traducción de Teresa Farran i Vert
Primera edición, 2018
ISBN 978-84-261-4472-0
DL B 1666-2018
Núm. de edición de E. J.: 13.572
Printed in Spain
Impreso por Impuls 45, Granollers
(Barcelona)

Géraldine Collet   Sébastien Chebret

Pequeños mundos

Editorial EJ Juventud

Provença, 101 – 08029 Barcelona

TODO BRICOLAJE

LA DICHA DE LOS LIBROS

En cuestión de pequeños mundos…,
ya se sabe, ¡cada uno tiene el suyo!

Cuando Pablo se quiere aislar,
sube a su cabaña.
Allí, en su refugio arbóreo,
escucha el canto de los pájaros,
y el mundo de abajo
le parece aún más hermoso.

A María le gusta plantar su tienda en medio de la sala.
Dice que es su casa y nadie puede entrar
sin su permiso, excepto Fifí, la gata.
Pero no hay nada que le guste más
que construir castillos blanditos
para dormir la siesta con Fifí.

¡CLANG!

¿Quién arma este alboroto?
¡Son Juan y Alfredo!
Inventan máquinas para todo
y las construyen en el taller de su abuelo.
Y esta ¿para qué servirá? Misterio…

Leo ama los animales, y los ama tanto,
que encontrarlo hablando con ellos no es nada raro,
y se hace amigo de la más diminuta hormiga
porque todo lo pequeño le fascina.

Clara se evade observando el espacio.
Viaja por el universo e imagina
los posibles mundos que conocería.
Si le recuerdan que siempre está en la luna,
contesta sin ninguna duda:
—*No... todavía...*

Los colores y las formas se mezclan
en el mundo de Max.
Imagina el cielo lanzándose al mar
en una mezcolanza de malva y violeta
y, cuando le preguntan qué ve, sonríe,
porque antes que nadie percibe,
allá lejos, una gaviota contenta.

¡Abran paso!
En su disfraz de caballero, Ignacio,
con su espada de cartón
nos salvará de cualquier dragón.

Una semillita aquí, una semillita allá,
Samuel en secreto espera
que un enorme ramo florezca.

A Lili los libros la transportan a otro mundo.
Cada página es una nueva vida.
No te sorprenda pues si a menudo
la ves absorta junto a la librería.

Abdul y Jonás sueñan con un mundo sin guerra.
¡Cómo les gustaría vivir en paz
y no tener que marchar de su tierra!

Y cuando todos bajan de sus pequeños mundos,
traen en el corazón el deseo profundo
de construir, aquí o en otro lugar, uno mejor, todos juntos,